Gardiennage infernal

Un gardien averti en vaut deux…
www.soulieresediteur.com

De la même auteure
chez d'autres éditeurs :

Voie de contournement, roman, éditions Pierre Tisseyre, 2016

Le casier secret, romans, éditions les Z'ailées, 2015

Rocheux anniversaire Léopold !, album, éditions de la Smala, 2013. Finaliste et récipiendaire d'un livre d'honneur du prix Peuplier 2015 du programme La Forêt de la lecture

Poudre aux yeux, roman, éditions Pierre Tisseyre, 2013

L'échange, roman, éditions Pierre Tisseyre, 2012. Lauréate du Grand prix de l'association des auteurs de la Montérégie 2013, catégorie jeunesse – secondaire

Le yoga, c'est pas zen, roman, éditions Pierre Tisseyre, 2011. Lauréate du Prix Cécile-Gagnon

GARDIENNAGE INFERNAL

un roman
D'Isabelle Gaul

illustré par
Jocelyne Bouchard

case postale 36563 — 598, rue Victoria
Saint-Lambert (Québec) J4P 3S8

Soulières éditeur remercie le Conseil des Arts du Canada et la SODEC de l'aide accordée à son programme de publication et reconnaît l'aide financière du gouvernement du Canada par l'entremise du Fonds du livre du Canada (FLC) pour ses activités d'édition. Soulières éditeur bénéficie également du Programme de crédit d'impôt pour l'édition de livres – Gestion Sodec — du gouvernement du Québec.

Dépôt légal : 2017

Catalogage avant publication de Bibliothèque et Archives nationales du Québec et Bibliothèque et Archives Canada

Gaul, Isabelle
Gardiennage infernal
Collection Chat de gouttière, 61
Pour les jeunes de 10 ans et plus.

ISBN 978-2-89607-384-9

I. Bouchard, Jocelyne, 1961- . II. Titre.
III. Collection : Chat de gouttière ; 61.

PS8613.A938G37 2017 jC843'.6 C2016-941972-X
PS9613.A938G37 2017

Illustration de la couverture
et illustrations intérieures :
Jocelyne Bouchard

Conception graphique de la couverture :
Annie Pencrec'h

À ma cousine Pascale,
dont les amies,
la petite et la grande Johanne,
m'ont inspiré cette histoire.

Chapitre 1

Un nouveau statut

Henri Chartier, douze ans, trois mois, deux jours et des poussières, tient dans sa main la précieuse carte qui confirme son nouveau statut : depuis exactement 23 minutes et environ autant de secondes, il est gardien. Pas gardien de but ni gardien de troupeau ou gardien de sécurité. Non ! Henri Chartier est officiellement, depuis ce jour, gardien d'enfants.

Si vous lui posiez la question, il vous dirait en effet qu'il a réussi avec brio la journée de formation d'une durée de huit heures offerte par la Croix Rouge. Il vous expliquerait que la Croix Rouge est un organisme qui a comme mission d'aider les gens, et aussi de leur donner des cours sur la santé et la sécurité.

Lors de cette journée de formation, Henri a passé tous les tests : il a répondu à toutes les questions du manuel de 119 pages, il s'est prêté au jeu des mises en situation et il a rempli l'interminable questionnaire de vrai ou faux. De son point de vue, la grande majorité des exercices était facile, voire bébé lala… Un exemple ? Vrai ou faux : « Avant qu'un enfant se couche, c'est une bonne idée de faire une activité excitante comme jouer à la tague. » Franchement, un enfant de trois ans et quart aurait pu répondre correctement à ça !

Passés haut la main les exercices du genre « Philomène, 11 mois, refuse de boire son biberon et préfère manger la terre du jardin. Que dois-tu faire ? » ou encore « Émerick, 6 ans, te supplie de le laisser inviter toute sa classe pour une partie de volleyball dans le salon, prétextant que ses parents sont toujours d'accord. Quelle est ta réaction ? »

Ma réaction ? se dit Henri, *ma réaction ? C'est d'écrire aux personnes qui ont conçu ce manuel pour les aviser que leurs questions sont nulles. Voir si on peut jouer au volleyball dans le salon. La salle de bain, c'est beaucoup mieux!* plaisante-t-il.

Au cours de cette même journée, il a également mis la main à la pâte, si l'on peut s'exprimer ainsi. On lui a demandé de préparer un biberon, de réchauffer une purée de pommes et de changer la couche d'une poupée borgne et chauve d'au moins cent ans.

En un mot, pour Henri Chartier, le gardiennage n'a plus de secrets! Il est fin prêt à entreprendre sa nouvelle carrière de gardien d'enfants. Et le plus tôt sera le mieux. Parce qu'il a beau effectuer certaines tâches ménagères à la maison comme enlever les pissenlits sur le terrain l'été, sortir les poubelles et vider le lave-vaisselle en semaine, il n'amasse pas suffisamment d'argent pour s'acheter tout ce qu'il désire.

À cette seule pensée, le jeune professionnel dresse dans son esprit une liste de tout ce qu'il pourra acquérir avec l'argent gagné.

Dans l'ordre:

• De nouveaux tours de magie, dont un jeu de cartes truquées qui peuvent rapetisser… hallucinant!

• Des billets pour le spectacle du célèbre illusionniste, Pat Dudeman, qui vient en ville l'automne prochain... malade!

• Un vélo de montagne neuf, à lui à lui à lui... fou!

• Un téléphone intelligent... ça serait débile!

• Un téléviseur pour sa chambre... capoté!

• Un laissez-passer annuel pour La Ronde... yé!

• Une décapotable... bon, OK, ça, c'est peut-être un peu exagéré...

Encore trop jeune pour avoir un emploi étudiant dans un restaurant ou dans une boutique, Henri estime que ce gagne-pain est la solution idéale pour lui. La responsable de la formation a informé les élèves qu'un gardien pouvait demander en moyenne un salaire de cinq dollars de l'heure, par enfant. *Là, on commence à parler des vraies affaires!,* songe celui qui a déjà en tête le nom de quelques voisins susceptibles de bénéficier de ses valeureux services.

D'abord, les Simoneau, quatre jeunes: 9 ans, 7 ans, 6 ans et 4 ans. Tous des garçons. Tous propres. Autant dire le «jack

MAGIE
CROIX-ROUGE
CANADIENNE

pot » ! Ensuite, les Wang, deux enfants, mais ils sont tellement sages que ça pourrait compter pour un seul. Plus que parfait. Les Turbin-Lapierre : deux jeunes, 8 et 5 ans. Un garçon et une fille. Parfait. Enfin, les Richard, un petit, 7 ans, et un chien frisé qui jappe en boucle. Peut-être que ça compte pour deux ?

Et ce sont seulement les voisins de la rue. Lorsque le bouche à oreille se fera, c'est-à-dire quand des personnes parleront à d'autres de ses grandes qualités de gardien, hé bien, le téléphone d'Henri ne dérougira plus. Aussi simple que ça !

Chapitre 2

Toutes les cartes en main

Henri a marché de l'école à chez lui en réfléchissant à son avenir comme gardien et en échafaudant des plans pour la fin de semaine. Il compte bien se lancer très bientôt dans l'arène. D'autant plus que l'année scolaire achevant, certains parents pourraient être intéressés à l'idée de retenir ses services pendant tout l'été. Aïe aïe aïe ! ce serait le rêve, un cheminement de carrière inespéré pour le novice qu'il est. Mais une chose à la fois. D'abord, rentrer à la maison...

Devant la porte, encore la tête bouillonnante, Henri s'immobilise pour prendre sa clé dans la poche de son pantalon. Il cherche dans le fond des poches de sa veste… puis dans chaque recoin de son sac… et même dans sa boîte à lunch. Introuvable la clé est, comme le dirait Yoda. Voyons, il était pourtant certain de l'avoir prise ce matin avant de partir pour l'école… Il semble que la clé ait disparu comme par enchantement.

Heureusement, son frère Samuel devrait aussi rentrer sous peu. À moins qu'il ne s'attarde avec ses copains dans le parc de skate? Henri patientera quelques minutes et jugera s'il doit le rejoindre ou pas. Chose certaine, Samuel a sa clé. Samuel possède de nombreux défauts, en faire la liste serait interminable, mais contrairement à son grand frère, il n'oublie jamais rien. Si vous lui posiez la question, Henri vous confierait qu'il lui arrive d'être parfois – régulièrement, corrigerait sa mère – « oublieux », « lunatique »… « dans sa bulle ». Il préciserait néanmoins, pour sa défense, que cela fait partie de son côté artiste, créatif, imaginatif et que, d'une certaine façon, c'est une qualité et non un défaut!

Comme à son habitude, Henri s'assoit dans les marches de la galerie pour attendre son frangin. De loin, il aperçoit le parc d'enfants situé à quelques rues. Une immense aire de jeux bordée d'arbres centenaires où s'amusent tous les jeunes du quartier.

Henri habite également à quelques minutes de marche de sa boutique favorite : *Magie et compagnie*. Une vraie caverne d'Ali Baba pour le mordu de magie qu'il est ! Il se souvient de la première fois où son père l'y a amené. À l'époque, il avait à peine huit ans. Le temps était lourd dehors, presque aussi lourd que le cœur empli de chagrin du petit Henri qui tournait en rond dans la maison. Afin de lui changer les idées, son papa l'avait emmené à cette boutique, car il savait que son garçon se passionnait pour la magie, les phénomènes surnaturels et les illusions. Il affectionnait particulièrement les tours de cartes et, déjà, à cet âge tendre, il en maîtrisait quelques-uns.

Qu'est-ce qu'il avait été ébahi en pénétrant dans le magasin ! Des centaines de jeux de cartes différents recouvraient tout un pan de mur. Non seulement cela, mais le propriétaire, monsieur Dumoulin, lui avait fait la démonstration de certains trucs et lui avait même offert un faux pouce, dont Henri se sert encore aujourd'hui. Ce fut le début d'une palpitante histoire!

Voilà enfin Samuel, son jeune frère, qui s'amène à la maison. Sautant de sa planche à roulettes, qu'il agrippe habilement d'une main, coiffé d'une casquette bleue et verte. Ce cher Samuel, âgé d'à peine 12 mois de moins qu'Henri, en cinquième année, toujours l'air au-dessus de ses affaires, toujours l'air à vouloir défier quiconque se place sur son chemin. Si vous lui posiez la question, Henri vous dirait que son frère est l'archétype du parfait petit baveux!

En effet, Henri est persuadé qu'à cause de son cadet – quoique pour ce qui est de la taille, ils se ressemblent pas mal – il a perdu au moins la moitié de sa vie à poireauter dans sa chambre. Pour quel motif? Parce que son frère et lui sont chien et chat, huile et feu, yin et yang... En un mot, ils ne peuvent se sentir! Ils se chicanent constamment, à propos de tout, à propos de rien et en viennent souvent aux poings. Résultat: ils se retrouvent régulièrement en punition. Et, selon l'aîné, ces châtiments sont injustifiés dans son cas à lui, puisque c'est toujours Samuel qui déclenche les hostilités. Le parfait petit baveux, bis...

C'est encore le cas lorsque Samuel découvre la tête bouclée de son aîné sur les marches du perron.

— Tu as encore perdu ta clé, je te gage? crache-t-il.

— Pantoute, je l'ai juste laissée dans mon pupitre.

— Me semble...

Samuel tire nonchalamment la clé de sa poche, ouvre la porte, entre rapidement et la claque aussitôt derrière lui, espérant ainsi laisser son frère sur le perron. Henri saisit la poignée à la dernière nanoseconde et réussit à passer une main, un coude, un bras, puis à se frayer un chemin à l'intérieur.

— Si ton objectif était d'essayer de m'amputer des doigts, le défie Henri en fixant Sam droit dans les yeux, c'est raté.

Il hausse les épaules, jouant les innocents.

— De quoi parles-tu? J'ai rien *essayé* de faire.

Les deux garçons balancent casquettes et sacs d'école dans l'entrée et courent dévaliser le garde-manger. Ils savent bien qu'ils doivent rapidement s'atteler à la

7194

routine des devoirs et des leçons avant que leur père ne rentre dans une trentaine de minutes.

Henri attrape une grosse poignée de fruits séchés dans l'armoire, puis s'installe dans le salon afin de poursuivre ses réflexions sur le développement de sa future carrière de gardien. Bien affalé sur la causeuse, il se perd dans ses pensées. Il feuillette à nouveau le manuel qui lui a été remis aujourd'hui lors de sa formation. Il ne s'attarde que vaguement à la section «soins des bébés», et particulièrement le changement de couches, car il espère secrètement pouvoir cibler les enfants déjà propres. Les bébés, c'est moins son genre, croit-il. Il souhaite garder uniquement les plus vieux, idéalement ceux de cinq ans et plus. Mais bon, à ce stade-ci, il ne rejettera aucune offre digne de ce nom!

Samuel en profite pour venir pointer son nez retroussé et ses doigts pleins de miettes de biscuits au chocolat dans ses affaires et lui arrache le livret des mains.

— Ne me dis pas que tu as réussi ce cours-là! s'exclame-t-il.

— Officiel que je l'ai réussi.

— En tout cas, moi, je ne t'engagerais jamais comme gardien. Tu oublies toujours tout. Des plans pour que tu oublies les enfants dont tu as la charge!

— Ça tombe bien, moi, je ne souhaiterais jamais m'occuper d'un bébé comme toi!

Ouvrant le manuel au hasard, Samuel met son frère au défi:

— OK: dis-moi ce que tu dois faire en cas d'étouffement.

— Appeler le 9-1-1.

— Pantoute! Tu dois attraper l'enfant par derrière et lui donner des coups dans le ventre, récite Samuel. Veux-tu que je te montre? fait-il en bondissant sur son frère.

— Lâche-moi Samuel! Lâche-moi! s'égosille Henri.

— Quoi? Je te pratique! Je te pratique à garder! Comme ça, si jamais un enfant se jette sur toi, tu sauras… Ayoye, tu m'as fait mal, gros épais!

— Épais toi-même, t'avais juste à ne pas me sauter dessus.

Comme c'est le cas chaque fois que les deux frères se querellent, un témoin – habituellement un père ou une mère – les surprend au pire moment de la dispute. Alors que Samuel a le poing en l'air, prêt à asséner une bonne droite à son frère, Guy

Chartier, leur père, met le pied dans la maison et traverse le salon, les bras chargés de provisions. Il hausse les épaules en observant le désopilant spectacle et poursuit son chemin vers la cuisine en lâchant l'habituel « ça suffit vous deux! ».

Il dépose ses sacs sur le comptoir en maugréant « franchement, les gars, la porte du réfrigérateur est restée grande ouverte!

— Ça, c'est le nouveau gardien « averti », répond sarcastiquement Samuel, rejoignant son papa dans la cuisine.

— Arrête donc, fatigant! rugit Henri du salon.

— C'est toi, le fatigant, rajoute Samuel.

— Lâchez-vous! intervient Guy, déjà exaspéré. J'ai besoin d'aide pour ranger l'épicerie. Puis, pour préparer le souper. Henri!

Henri se traîne les pieds jusqu'à la cuisine, puis sort la planche à découper. Avec son père, il tente de ramener la conversation en terrain plus clément.

— Papa, je peux te montrer mon manuel de gardien averti avant le souper?

— Ah, oui! C'est aujourd'hui que tu suivais ton cours. Félicitations, mon grand!

— En plus, c'était hyper facile. J'ai réussi haut la main!

— Que dirais-tu qu'on prépare le repas et qu'on s'assoie ensuite pour regarder ça tranquillement?

Chapitre 3

Une affaire de filles, vraiment ?

À l'heure du souper, les conversations sont animées. Geneviève, la maman des garçons, est rentrée du bureau juste au moment où leur père déposait les assiettes sur la table. Chacun résume sa journée. Geneviève, adjointe administrative dans un cabinet d'avocats, a eu des ennuis interminables avec son ordinateur. Un technicien a mis des heures à jouer dans le ventre de la machine avant de déclarer, un peu avant le dîner, qu'il n'y avait plus rien à faire, qu'il avait tout tenté.

— Je lui ai répondu « est-ce que quelqu'un doit venir identifier le corps, docteur ? », pour faire une blague, mais le type n'a pas ri une miette. Il m'a regardée avec des yeux tout ronds comme si j'étais une extraterrestre.

— Pauvre maman... encore une de tes bonnes « blagues » que personne ne comprend... taquine Henri.

— Quoi ? Elle n'était pas bonne ma blague ?

Guy, chauffeur d'autobus, raconte qu'une dame assez âgée s'est endormie dans le siège juste derrière le sien et s'est mise à ronfler comme une tondeuse à gazon pendant près d'une heure. Et lorsqu'elle s'est réveillée, complètement perdue, elle a demandé son chemin à Guy, pour se rendre compte qu'elle était montée dans le mauvais bus !

Quand vient le temps aux enfants de raconter leur journée, chacun dit au même moment « Moi, je... » Bien sûr, il n'en faut pas davantage pour qu'une dispute éclate.

— J'ai commencé en premier, crie Samuel. Hein, maman ?

— Pas vrai ! dément Henri. C'est moi qui ai parlé en premier.

— Les gars... Les garçons... tente leur mère, y en aurait-il un d'assez poli pour laisser parler l'autre ?

— C'est toujours lui qui commence, se plaint Henri, convaincu qu'il a raison sur toute la ligne.

— Tellement faux! déclare le cadet. Hier, qui a raconté sa journée en premier? Une journée tellement ennuyante que j'avais envie de m'endormir comme la vieille bonne femme dans l'autobus de papa...

— Politesse, Samuel, intervient Guy. Bon, si c'est comme ça, on arrête tous de parler.

Henri s'enfonce dans son siège, déçu. Encore en punition, encore par la faute de son frère, incapable de ne pas avoir les projecteurs braqués sur lui pendant une seconde. Si vous lui en laissiez l'occasion, Henri vous dirait qu'il en a souvent marre de ce frère qui a le don de le faire exploser à tout instant. Il avouerait avoir souvent envie de le faire disparaître à tout jamais... Malheureusement, ce genre de truc est impossible à réaliser, même pour le plus habile des magiciens...

Au bout de quelques minutes de silence, les parents invitent les garçons à reprendre la conversation «pourvu qu'ils fassent preuve d'un minimum de savoir-vivre.»

Henri peut enfin relater dans le menu détail les apprentissages de sa journée de formation. Il en profite pour tenter de convaincre ses parents de l'absolue nécessité de posséder un téléphone cellulaire « afin de pouvoir joindre rapidement le 9-1-1 en cas de besoin, si un enfant s'étouffait, par exemple. »

— Commence par avoir des clients, répond maman. On verra ça ensuite !

— Ça, j'en doute, ronchonne Samuel. Je mets ma main au feu qu'il ne trouvera personne d'assez idiot pour lui confier ses enfants.

— On t'a parlé, toi ? coupe Henri, déjà debout, prêt à passer à l'attaque.

— Tu n'es même pas capable de garder ta clé de maison à ton cou !

— Vous autres… rugit papa, perdant le peu de patience qu'il lui reste.

— Et puis à part ça, insiste Samuel, t'as pas remarqué ? Les parents n'engagent pas des gardiens pour leurs enfants. Ils engagent des gardienNES !

Perplexe, Henri fixe ses parents, curieux d'avoir leur avis sur cette soudaine révélation.

— C'est vrai qu'on voit plus souvent des filles garder des enfants, remarque maman. Ce n'est pas que les garçons sont moins bons... C'est peut-être simplement une question d'intérêt... Je ne sais pas! Lorsque j'avais votre âge, je surveillais les enfants d'en face. Mes frères, eux, livraient le journal. Pourquoi? Je l'ignore...

— Moi, je tondais la pelouse de mes voisins, ajoute papa. Mais vous, vous avez eu UN gardien quand vous étiez petits, preuve que les garçons aussi peuvent garder.

— Je me shouviens très bien, répond Samuel en mastiquant sa bouchée de shpaghetti. Il shappelait comment déjà? Makchime?

— Maxence, corrige Henri, heureux de se souvenir de ce modèle de gardien masculin. Je me rappelle à présent! Il était drôlement *cool*. Il nous permettait de faire une maison avec tous les coussins du salon alors qu'on savait qu'on n'en avait pas le droit.

— Ah bon? interroge maman.

— Chut, gros nono, beugle Samuel.

— Les gars, j'en ai marre, tranche papa, furieux. Dans votre chambre immédiatement!

Ces quelques mots concluaient malheureusement trop souvent les repas de famille. Ils étaient prononcés le plus souvent au dessert, ou avant, bref lorsque les enfants avaient « étiré l'élastique de la patience » de leurs parents. Henri jette des regards obliques à son frère :

— Encore une soirée gâchée par ta faute... Content, maintenant?

Tout en regagnant sa chambre, Henri se répète qu'il n'a pas l'intention de se laisser abattre quelque soit le motif. Contrairement à ce qu'insinue son monsieur-je-ne-me-mêle-pas-de-mes-affaires de frère, Henri est persuadé qu'il maîtrise toutes les habiletés nécessaires pour être un bon gardien. Conscient qu'il lui arrive à l'occasion d'être dans « sa bulle », jamais il n'oublierait un enfant. Quant à cette histoire de filles qui auraient le monopole du gardiennage, c'est cent pour cent faux et Henri entend le prouver à son frangin pas plus tard que demain.

Assis dans son lit, il se remémore la façon dont il s'y prendra pour débuter sa carrière, le nom des voisins à qui il compte offrir ses services et les tours de magie qu'il fera pour divertir les enfants... Il a toutes les cartes en main pour réussir !

Chapitre 4

Pomme, tomate, biscuit, agenda...

— J'ai besoin d'une carte professionnelle.

C'est ce que se répète Henri en pointant son gros orteil hors du lit, en ce beau samedi 11 juin, 7 heures, 9 minutes, 41 secondes. Garder n'est pas sorcier, mais faire apparaître des enfants à garder est une autre histoire !

La publicité est la clé du succès, déclare-t-il. S'inspirant de la façon dont il s'y prend lorsqu'il pratique un nouveau tour de magie, Henri se fait un plan et visualise les différentes étapes à réaliser. Objectif ultime ? Décrocher son premier contrat de gardiennage, idéalement pour le soir même.

En tout premier lieu, il confectionne des cartes professionnelles personnalisées sur lesquelles il inscrit son nom et son numéro de téléphone. Tantôt, il ira distribuer ses cartes en main propre dans des endroits fiables et sécuritaires, par exemple, au parc à côté de chez lui. Il se souvient bien des paroles de la formatrice, qui mettait les jeunes en garde de ne pas laisser leurs coordonnées partout dans les endroits publics, comme les boîtes postales ou les centres commerciaux. «C'est une question de sécurité», avait-elle martelé à plusieurs reprises.

Henri pose un regard fier sur ses œuvres. Son arme principale de gardien, ou son meilleur atout, c'est qu'il maîtrise plusieurs tours de magie. Il adore les tours de cartes et, habituellement, les enfants en raffolent. Voilà pourquoi il a inscrit les cartes:

Henri Chartier,
gardien averti et magicien.
Faites-moi confiance,
j'ai plus d'un tour
dans mon sac!

Il descend ensuite à la cuisine pour le petit-déjeuner. À table, il fait part à ses parents de ses intentions d'aller au parc dans le cadre d'une « méga campagne publicitaire ». Ces derniers l'encouragent pourvu qu'il termine ses devoirs avant de partir.

Un bol de céréales, un œuf et une banane plus tard, Henri s'attaque à ses leçons. Il se rend compte qu'il a malheureusement oublié son agenda scolaire et, qu'il n'est donc pas en mesure d'être aussi efficace qu'escompté. Il tente de camoufler le tout, car il sait trop bien que son frère Samuel sera trop heureux d'aller dénoncer le « lunatique et irresponsable » qu'il est.

Lorsqu'on frappe à la porte, Henri s'affaire à recopier des mots dans son cahier, n'importe lesquels, juste pour faire semblant. Pomme, tomate, agenda, biscuit, pet...

Voilà Samuel qui cherche une âme à embêter.

— Qu'est-ce que tu veux, Samuel ?

— J'ai fini mes devoirs, toi ?

— Ce n'est pas de tes affaires. Dégage !

— Tu me passerais un dollar ? Je m'en vais au parc de skate avec Hugo.

— Pour t'acheter des bonbons que tu ne partageras pas? Pas question!

— Oui, je vais les partager, je te le promets.

— Ah oui? Qu'est-ce que tu as fait la dernière fois? Tu m'avais juré et tu ne m'as rien laissé. Au contraire, tu m'as mangé ton énorme tablette de chocolat sous le nez. Puis tu ne m'as jamais remboursé. Je les connais, tes promesses, Samuel Chartier.

— Allez! Je vais te le rendre, cette fois-ci.

— Ah oui? Quand ça? Dans la semaine des quatre jeudis?

— T'es vraiment poche, Henri! rugit le frangin en claquant sèchement la porte.

Henri l'entend dévaler les marches, puis, quelques secondes plus tard, un fracas assourdissant confirme que sa tornade de frère a quitté les lieux. Enfin! Henri peut donc appeler sa mère et lui faire part de son léger oubli d'agenda. Elle risque d'être furieuse, car c'est la deuxième fois cette semaine.

— Mais maman, j'avais tellement de choses en tête avec cette histoire de gardien averti, et tout.

— Ouais, eh bien justement, Henri, tu devras être plus à ton affaire si tu veux être assez responsable pour t'occuper de plus jeunes. Juste ce matin, tu avais sorti la poêle pour te faire un œuf, mais tu as oublié de fermer le rond, et tu sais combien c'est dangereux.

— J'étais PRÉOCCUPÉ, maman. J'avais mille choses en tête. Tu comprends?

— Mon beau trésor, je te dis ça pour t'aider. C'est pour ça que je te rappelle toujours mon petit truc...

— Maman! Ce n'est pas le temps de m'embêter avec ton truc débile «ouvrir et refermer»!

Geneviève, connaissant la manie de son fils à oublier certaines choses, ne cessait de lui rappeler un truc qui avait le don de le faire enrager. Elle était d'avis que toute action devait être suivie de son contraire. Grosso modo, une porte d'armoire ouverte devait être refermée, des marches montées, redescendues, un téléviseur ouvert, refermé, etc. Elle s'amusait à harceler Henri – il ne voyait pas de terme plus approprié pour décrire le supplice que lui faisait vivre sa mère avec cette pseudo astuce – en lui disant de porter chaque fois attention aux gestes qu'il posait, en songeant à toujours «défaire» ce qu'il avait « fait ». Si vous lui aviez demandé son avis, il vous aurait volontiers déclaré qu'il s'agissait d'une règle archinulle qui ne s'appliquait pas la moitié du temps.

Comme il aimerait bien « refermer » cette conversation, il propose à sa mère d'emprunter l'agenda d'un ami sur l'heure du dîner. Cette dernière accepte le compromis, lui laissant enfin de champ libre pour aller semer ses cartes au parc !

Chapitre 5

L'existence des deux L

Contrairement à ce qu'Henri avait anticipé, le parc du quartier est presque désert, malgré un ciel azur sans l'ombre d'un nuage. Sur la pelouse, deux jeunes, trop vieux pour être gardés, se lancent une balle de baseball.

Henri s'assoit sur une des balançoires afin de remettre ses pensées en ordre. Que pourrait-il faire pour se faire connaître auprès des parents? Pourrait-il faire du porte à porte, comme s'il vendait des tablettes de chocolat? Là encore, lui reviennent à l'esprit les conseils de la formatrice: «Il n'est pas prudent d'aller frapper seul chez des inconnus et de leur laisser vos coordonnées. Au mieux, allez-y avec quelqu'un. Sécurité, sécurité, sécurité... »

Voilà qu'il aperçoit Lorie, une de ses collègues de classe, en 6e année elle aussi. Elle s'avance vers lui.

— Salut Henri! Que fais-tu?

— Je distribue mes cartes de gardien averti. Tu n'as pas suivi la formation, hier?

— Je m'occupe déjà de mes voisins tous les soirs au retour de l'école depuis le début de l'année. Je n'ai pas besoin de suivre le cours...

— Ah bon. Gardes-tu aussi ailleurs? s'enquiert Henri, un brin jaloux de la facilité avec laquelle Lorie a obtenu ses contacts, mais surtout curieux de voir l'étendue de la « compétition » dans le quartier.

— Non. Je n'ai pas vraiment le temps.

— Eh bien, je ne m'en plaindrai pas! Ça va me faire plus de clients! blague Henri.

Lorie lui confie tout bonnement que sa véritable compétition en termes de gardiennage sont les jumelles Elsie et Annabelle, surnommées les « deux L » par les filles de sixième année. Henri apprend qu'elles sont en deuxième secondaire, au très huppé collège privé de la ville, et qu'elles gardent ensemble à peu près tous les enfants des rues avoisinantes. Henri s'étonne. Il n'a jamais vu ni même entendu parler des deux sœurs.

— On les appelle les deux ELLES, à cause de leur prénom, qui a le son ÈL, précise Lorie.

— Ont-elles fréquenté la même école que nous? s'enquiert-il. Elles ne me disent rien du tout.

— Non. Elles sont arrivées ici l'été dernier, voilà pourquoi. Elles sont très gentilles, pourvu que tu ne viennes pas jouer dans leurs platebandes. Si tu les croises, tu sauras les reconnaître. Elles sont élancées et ont de longs cheveux bruns et lisses. Et elles sont totalement identiques. C'est à s'y méprendre! L'unique point qui les différencie, poursuit Lorie, est que l'une d'elles porte des lunettes. Elsie, je crois.

Les deux Elles. Deux grandes aux cheveux bruns... Lui qui est plutôt du genre petit blond et frisotté... Disons moyen blond. Disons moyen châtain, frisé et sans lunettes. Quoiqu'à la dernière visite chez l'ophtalmologiste, il peinait à lire la dernière ligne... Toutes les lettres lui semblaient identiques… Sa mère l'a prévenu qu'éventuellement il pourrait devoir poser une paire de lunettes sur le bout de son nez… Mais c'est une autre histoire.

À cet instant, madame Simoneau, la maman des bambins qu'Henri rêve de garder, le sort de sa rêverie. Elle fait son entrée au parc avec ses quatre rejetons. Henri connaît le nom de l'aîné, Shawn, qui est en deuxième année à son école. N'écoutant que son courage, il s'avance vers eux.

— Salut, Shawn ! Bonjour madame Simoneau !

— Bonjour ! Rappelle-moi ton nom, veux-tu ? lui répond-elle.

— Je m'appelle Henri Chartier. J'habite à quelques pâtés de maisons de la vôtre. Je voulais vous dire que cette semaine, plus précisément hier, j'ai suivi mon cours de gardien averti. Je peux donc garder vos enfants. Je suis libre ce soir en plus !

Madame Simoneau sourit poliment.

— Eh bien félicitations, Henri. C'est bien gentil de ta part de nous offrir tes services. Ce soir, malheureusement, nous ne prévoyons pas de sortir. Par contre, si tu me laisses ton numéro de téléphone, je pourrais t'appeler si jamais nous avons besoin d'un gardien.

— Excellent. Je vous donne ma carte.

Ce faisant, Henri s'aperçoit qu'il n'a plus son sac… Il l'a oublié près des balançoires.

— Attendez-moi une seconde… je les ai confiées à mon amie Lorie. Je reviens!

Il court chercher son sac et, essoufflé, revient vers madame Simoneau, à qui il tend une de ses cartes. Elle lit à haute voix, appuyant sur chaque syllabe: Henri Chartier… Gardien et magicien… plus d'un tour dans mon sac…

Avant que la maman de Shawn ne puisse poursuivre, ce dernier intervient.

— Mais c'est Elsie et Annabelle qui nous gardent habituellement, maman!

— Je vois, répond Henri, un brin déconfit.

— Sois certain que je conserverai ta carte bien précieusement, dit madame Simoneau, jetant un œil discret à ses trois plus jeunes qui gambadent plus loin. Et je pourrai même en parler à d'autres parents. En attendant, je te souhaite bon succès dans tes démarches!

— Merci.

Henri s'éloigne et décide de retourner chez lui. Il aura peut-être plus de chance cet après-midi.

— Henri ! Henri ! s'écrie Shawn.

En se retournant, Henri aperçoit son sac à dos, oublié une fois de plus.

— Ah ! Merci ! fait-il, avant de poursuivre sa route.

Chapitre 6

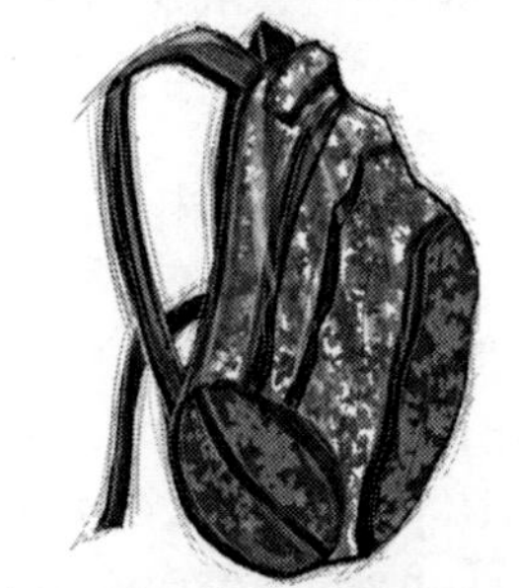

Une première expérience?

Henri quitte le parc à reculons. Lui qui croyait qu'une matinée suffirait à faire apparaître une ribambelle d'enfants à garder! Avant de rentrer à la maison, il passe chez son ami Olivier pour lui emprunter son agenda et ses mots de vocabulaire. Tout comme Lorie, Olivier n'a pas suivi le cours de gardien averti, préférant de loin garder des buts de hockey que des bambins.

— Si j'entends parler de quelque chose, promet Olivier, je t'appelle.

— C'est vraiment gentil, répond Henri devant le portail. On se revoit lundi à l'école!

Henri n'a pas mis le pied sur le trottoir qu'une voix derrière son dos l'interpelle. « Ton sac! »

❋❋❋

Le père d'Henri s'affaire sur la pelouse devant la maison. En cette splendide journée de début juin, il prépare le terrain pour l'été. Henri apprend que les deux autres membres de sa famille sont partis jouer au tennis et devraient rentrer pour le dîner. En attendant, le garçon aide son papa à dérouler le long tuyau d'arrosage, puis va chercher des sacs à ordures dans le cabanon. Quelques pissenlits ont déjà eu le culot de mettre le nez dehors; Henri les arrache rapidement. Ce faisant, il réfléchit à un moyen de rencontrer ces deux filles qui possèdent le monopole du gardiennage dans le quartier. Tout semble rouler pour les « Elles » : elles sont deux, elles sont plus âgées, elles ont de l'expérience.

— De l'expérience… De l'expérience… Mais oui… Il s'agissait d'y penser!

— Dis, papa, ça ne te dirait pas d'aller voir un film, ce soir?

— Un film? Je ne sais pas… Peut-être! Qu'est-ce qui te tenterait?

— Non, pas avec moi. Avec maman !

— Tu me proposes d'aller au cinéma… avec maman ?

— Oui ! Comme ça, je pourrais garder Samuel.

— Ça, je suis moins sûr… rétorque le paternel.

— Papa ! Il faut que j'acquérisse…

— Que j'acquière, corrige-t-il.

— Que j'acquière de l'expérience, question d'être crédible, tu sais…

Malgré les arguments d'Henri, tous plus redoutables les uns que les autres, son père demeure sceptique. Son fils a beau le supplier que, sans expérience, autant dire adieu à sa carrière, Guy ne peut s'empêcher de craindre un déraillement de la situation s'il laisse ses deux garçons seuls à la maison plus d'une demi-heure. Un couteau dans un front est si vite arrivé…

— Allez, donnez-moi une chance ! Je vous jure que ça se passera bien.

Papa promet une seule chose, soit d'en glisser un mot à maman à son retour.

Quelques heures plus tard, après d'intenses négociations, les parents finissent par se laisser convaincre par l'idée de leur aîné. Et, pourquoi pas, ils souperont au restaurant en amoureux le soir venu! C'est Samuel qui, apprenant la nouvelle, perd un peu la tête.

— Me faire surveiller par Henri? Jamais de la vie! Mieux vaut mourir! hurle-t-il en tapant du pied.

— Samuel, tu exagères, dit maman. Ce n'est pas officiellement du «gardiennage».

— C'est quoi alors? s'écrie Henri. Parce que tu sais, si l'on veut que ça compte comme une expérience de gardien…

— Henri, ne te mêle pas de ça s'il vous plaît, invoque maman.

Puis, à l'intention de Samuel, elle poursuit:

— Mon beau chéri, nous partirons trois heures, maximum. S'il y a quoi que ce soit, tu nous appelles. Pourquoi ça ne se passerait pas bien?

— Parce qu'il me forcera à lui obéir au doigt et à l'œil, grogne le plus jeune.

— Faux, rétorque Henri. Tu es tellement soupe au lait.

— Je vais te la faire manger, toi, ta soupe au lait si ça continue…

— Du calme, intervient encore Geneviève.

— Maman! Tu vois bien que ça sera l'enfer. Henri insistera pour jouer à des jeux de société archiplates, des jeux de débiles.

Avant que la situation ne dégénère, papa s'impose et l'on convient d'un commun d'accord que cette sortie ne comptera pas comme du «gardiennage officiel». En effet, Samuel possède la maturité nécessaire pour être responsable de lui-même, confirme maman. Mais il est également vrai qu'Henri a besoin d'expérience et que tous souhaitent l'aider. En contrepartie, si Henri veut vraiment assumer son rôle, il devra s'adapter à sa «clientèle».

— Cela signifie que si Samuel ne veut pas jouer à un jeu de société, tu dois trouver autre chose qui lui plaise, déclare Guy.

Devant le sourire éclatant du frangin, c'est Henri qui éprouve de gros doutes. Des plans pour qu'il doive passer la soirée au parc de skate, lui qui déteste les sports qui «mettent littéralement ta vie en danger». Si on lui posait la question, Henri énumérerait toute une liste des activités que son frère adore et que lui-même abhorre : la planche à roulettes, la planche à neige et le nunchaku en tête.

Henri proteste pour la forme, mais finit par plier, déclarant que ce salaire sera gagné à la sueur de son front. En apprenant que son grand frère serait payé pour s'occuper de lui, Samuel éclate à nouveau.

— Ah ça, non ! Pas question ! Plutôt mourir...

— Samuel... soupire maman.

— Mais c'est totalement injuste ! s'indigne-t-il.

Après encore une longue tournée de négociations, toute la famille s'entend sur le fait que si tout se passe bien pendant cette brève, très brève, très très brève sortie, tous iront déjeuner au restaurant le lendemain matin. Ce sera une forme de paye et cela permettra à Henri d'acquérir une première expérience.

D'ici là, Henri a tout le loisir de retourner au parc et dans les environs pour faire sa publicité.

Chapitre 7

Deux adversaires coriaces

Contrairement à ce matin, le parc est bondé. Par où commencer? Henri fait d'abord un tour d'horizon. Il débutera sa tournée par les balançoires, puis la glissoire, ensuite le carré de sable, et terminera par l'aire de jeux gazonnée. Il s'approche en premier lieu d'un papa moustachu plutôt trapu concentré à pousser un bambin. Ce dernier rit aux éclats. *Entore! Entore!*

— Pardon, monsieur!

— Oui!

— Je me présente: Henri Chartier. Je suis nouvellement gardien d'enfants.

Je voulais vous proposer mes services. Mais pas ce soir, je garde déjà quelqu'un d'autre. J'ai de l'expérience, vous savez.

— Ah, c'est gentil. Ce sont mes parents qui s'occupent habituellement de Roméo. Mais tu peux toujours nous laisser ton numéro de téléphone. On ne sait jamais!

— D'accord. Merci!

Henri tend fièrement sa carte à l'homme, qui la glisse dans sa poche sans même y jeter un œil. Tant pis!

Le jeune garçon poursuit sa tournée auprès d'une jolie maman qui, tout à côté, s'amuse à bercer un poupon tout en bajoues. Le petit est sur le point de s'endormir dans la balançoire. Exactement le genre d'enfant qu'il me faut, médite Henri. Un bébé qui dort à poings fermés! La dame accepte la carte, mais informe Henri qu'elle trouve sa Margot encore trop petite pour être gardée par un «enfant de douze ans». Henri ravale sa salive et son orgueil, tentant de ne pas être vexé par les propos de la jeune mère. De toute façon, se rappelle-t-il, ce bébé-là doit sûrement porter des couches.

Malheureusement pour Henri, le même manège se répète avec tous les parents approchés. Malgré son sourire et sa

meilleure volonté, chacun lui répond poliment que ses services ne sont pas requis pour l'instant. Tellement qu'Henri ressent quelques gargouillements dans son estomac. Et si c'était vrai que personne ne voulait engager de garçons, comme le prétend Samuel? La seule pensée de son frère suffit à lui donner le coup de pied nécessaire pour poursuivre sa mission. Il n'est pas devenu un grand magicien du jour au lendemain. Il a dû répéter, travailler, pratiquer... ce sera la même chose pour le gardiennage. Il répétera, il travaillera, il pratiquera...

Ratissant une dernière fois le parc de fond en comble, Henri remarque près des balançoires une jeune fille qui n'y était pas précédemment. Elle s'apprête à faire grimper une enfant dans une balançoire. Il s'approche d'elle et déballe son texte.

— Bonjour! Je m'appelle Henri Chartier. J'ai suivi mon cours de gardien averti et je suis prêt à garder ce soir. Est-ce que je peux vous laisser ma carte?

— Ah, dommage, Henri! répond la jeune fille. Malheureusement, c'est moi qui suis en charge de Jasmine. Je la garde depuis presque un an, hein, Jasmine? Ça fait longtemps qu'on se connaît, toi et moi!

— Ah… C'est dommage, en effet, murmure Henri, humilié d'avoir confondu la jeune pour une maman.

— Bye bye, dit-elle nonchalamment en sortant de sa poche son cellulaire pour commencer à répondre frénétiquement à ses messages.

— Est-ce qu'il arrive que tu ne puisses pas garder? insiste Henri, plus déterminé que jamais. Je ne sais pas moi, si tu as un examen à étudier ou une sortie avec tes amis par exemple?

— Pas vraiment, non, fait-elle en continuant à pitonner sur l'appareil téléphonique. Je fais équipe avec ma sœur. Si l'une ne peut pas, l'autre prend la relève et vice versa. Et, la plupart du temps, nous gardons ensemble. Elle arrive bientôt justement, termine-t-elle en lui montrant sous le nez le texto de ladite sœurette.

Henri saisit enfin à qui il a affaire. Grande. Brune. Cheveux longs et lisses.

— T'appelles-tu Elsie?

— À vrai dire, je suis Annabelle. Elsie est ma sœur.

— J'avais entendu parler de vous, fait Henri, constatant effectivement que cette sœur-là ne porte pas de lunettes.

— Ah bon?

— Paraît que vous gardez tous les enfants du quartier. Est-ce que c'est vrai?

— Peut-être! chante Annabelle, flattée de cette réputation qui la précède. On a travaillé très fort pour bâtir notre clientèle.

— Je n'en doute pas. Mais vous en avez peut-être trop? tente Henri.

— Non.

— Ça doit sûrement se produire que deux parents vous appellent pour garder le même soir et que vous soyez...

— Non, coupe-t-elle. Ça n'arrive jamais.

— Dommage... j'aurais bien aimé gagner des sous, moi aussi.

— Eh bien, il va falloir que tu ailles voir ailleurs. Ici, c'est notre territoire!

Henri est fâché. Fâché parce que les deux filles n'ont pas du tout l'intention de lui faire une place, même pas une petite pointe de l'énorme tarte qu'elles possèdent. Si cela s'avère, il n'est pas près d'avoir son premier client.

S'asseyant sur un banc un peu plus loin, il feint de remettre ses cartes en ordre tout en jetant des regards furtifs vers Annabelle. Sa jumelle, Elsie, l'a rejointe et elles discutent pendant que la petite fait des tours de trottinette. Les voilà, les deux «L»... Sont-elles si formidables que cela? Elles ne jouent même pas avec l'enfant qu'elles gardent. Elles ne font que jaser et comparer leurs textos. Comble de tout, il a bien vu Elsie tourner un œil malicieux en sa direction et pouffer en chuchotant quelque chose à l'oreille de sa sœur. Si vous lui demandiez à cet instant même ce qu'il pense, Henri confirmerait qu'on est en train de lui rire en plein visage. Et que cela l'insulte au plus haut point!

Henri bouillonne de rage lorsque le papa un tantinet grassouillet, celui qui n'a supposément pas besoin de gardien parce que «ce sont ses parents qui gardent Roméo», va à la rencontre des deux filles. Le voilà qui jase quelques minutes avec ELLES. Quelle n'est pas sa surprise de le voir sortir son téléphone et noter ce qui est probablement leur numéro de téléphone.

Ça ne peut se passer ainsi. Lorsque l'homme quitte le parc, Henri retourne d'un pied ferme près d'Elsie et d'Annabelle, décidé à clarifier les choses maintenant que, lui aussi, existe dans le périmètre de gardiennage du quartier.

— Elsie, je te présente Henri, dit Annabelle. Celui dont je t'ai parlé tantôt... le magicien-gardien. Tadam! rigole-t-elle.

— Salut, fait-elle en mâchant une énorme chique de gomme rose. On peut t'aider?

— Oui! Comme je le disais à ta sœur, j'ai suivi mon cours de gardien averti, hier, et je voudrais garder dans les environs. Peut-être que si jamais vous ne pouvez pas garder, un jour, vous pourriez mentionner mon nom?

— Comme ma sœur te l'a déjà dit, rétorque Elsie en soufflant une grosse bulle avec sa gomme, ça n'arrive jamais qu'on ne soit pas libres.

— Alors peut-être est-ce qu'on pourrait faire partie de la même équipe? ose Henri timidement, prêt à ne pas se laisser dégonfler.

— Je ne vois vraiment pas l'avantage de faire ça, remarque la jumelle sans lunettes. Nous serions obligées de partager les recettes. Ce n'est pas vraiment intéressant, tu comprends, Henri-le-magicien?

— Je pourrais même prendre un peu moins d'argent. Disons quatre dollars de l'heure au lieu de cinq, tente-t-il en désespoir de cause.

— Le mieux pour toi serait d'aller voir ailleurs, chantent en chœur les deux L.

Henri voudrait protester, rêverait même que l'énorme bulle rose éclate dans les lunettes et les cheveux lisses d'Elsie, mais il aperçoit quelqu'un, à l'entrée du parc, qui gesticule comme un épouvantail apeuré en sa direction. C'est son père. C'est vrai ! Il garde son frère ce soir. Ça lui était complètement sorti de l'esprit !

Chapitre 8

Une vraie première

Assis sur la banquette du restaurant animé, Henri et Samuel parcourent la section sports du journal en attendant que leur montagne de crêpes arrive. S'ils sont assis dans cet endroit spécial, c'est bien entendu parce que l'expérience de « gardiennage » de la veille s'est déroulée sans anicroche. «Aucun couteau n'a été lancé», a juré le plus jeune au retour de ses parents, endossé par l'aîné, qui a confirmé que les frères s'en étaient tirés sans l'ombre d'une égratignure.

Sur la banquette d'en face, papa et maman élaborent des projets pour les vacances estivales. Henri tend une oreille attentive afin d'être prêt à émettre une opinion au besoin. Il rêve d'aller à Disney ou de visiter une grande ville américaine comme New York, San Francisco ou Washington. Cela est peu probable. Les congés d'été se déroulent habituellement au lac Pierrot, dans les Laurentides, autour de six piquets de tente. Pour Guy et Geneviève, l'excitation ultime des vacances réside dans la découverte d'une talle de bleuets sauvages lors d'une randonnée pédestre. On est à des kilomètres des feux scintillants de Times Square…

De toute façon, en y songeant bien, Henri ne souhaite pas partir très loin ou très longtemps cet été puisque, si ses plans fonctionnent, il devrait travailler plusieurs jours par semaine comme gardien et faire fortune. Il sera toujours temps de visiter la Grosse Pomme ou de contempler l'énorme statue d'Abraham Lincoln.

Les plats de ce déjeuner récompense sont enfin servis. Évidemment, Samuel veut atteindre le pot de sirop d'érable le premier et, dans son élan, il accroche la salière. Cette dernière se répand directement dans l'assiette de son frère, saupoudrant de vilains cristaux blancs les jolies crêpes dorées. Henri est enragé, son repas est ruiné.

— Ouache ! Samuel, tu viens de mettre plein de sel sur mes crêpes. Donne-moi les tiennes .

— Pas question !

— Maman ! Regarde ce que Sam a fait. La moindre des choses, ce serait qu'il échange son plat avec le mien.

— Jé pas fait echprès, se défend l'accusé la bouche pleine, déjà appliqué à se bourrer la panse.

— Aïe, donne-moi ton assiette, peste Henri contre son frère. Maman ! Papa ! Ce n'est pas juste. Ce n'est pas juste ! bougonne-t-il.

Sans mot dire, Guy attrape l'assiette d'Henri et y enlève le sel avec sa cuillère. Puis il la lui tend à nouveau.

— Tiens, c'est réglé. Est-ce qu'on peut manger en paix, maintenant ?

Henri arrache le pot de sirop d'érable des mains de son frère et en verse sur ses crêpes, la mine renfrognée. Encore un repas gâché par sa faute… Si on lui demandait, argh, il ne sait pas ce qu'il ferait…

En sortant du restaurant, les deux jeunes poursuivent leur chemin vers la maison en silence. Henri, trop dépité par la journée précédente, a abandonné l'idée d'arpenter le parc pour trouver des enfants à garder. Il prendra plutôt son dimanche pour jouer avec ses amis et peut-être même pratiquer un nouveau tour de magie.

Quelle n'est pas sa surprise de voir, en arrivant, qu'un message téléphonique lui est destiné. C'est monsieur Malouf, le papa de la petite Simone, qu'il a rapidement croisé hier, qui souhaite réserver ses services pour le jour même, en fin après-midi. Le jour même ! C'est curieux, car il se souvient très bien que le papa en question ne semblait pas chaud à l'idée de conserver la carte d'Henri. Peu importe, songe ce dernier, l'important, c'est qu'il ait appelé.

Il s'agit d'une sortie très rapide, de préciser le message, les parents ont des commissions à faire et ils ne veulent pas amener Simone, bla, bla, bla. Henri ne cache pas sa joie en raccrochant le combiné, et téléphone immédiatement à monsieur Malouf pour confirmer son intérêt. On fixe la rencontre à 15 heures tapant.

— Mon premier client. J'ai mon premier client ! claironne Henri.

— WO, calme tes nerfs, pompon, fait Samuel. Ce n'est pas comme si tu avais gagné à la loto quand même.

— T'es juste jaloux parce que moi, je vais être riche et pas toi.

— Pantoute ! Je suis même content tu sauras, parce que toutes les fois où tu seras parti garder seront des moments où je n'aurai pas à voir ta sale petite face.

— Je vais t'en faire une, une sale petite face, moi ! répond Henri en attrapant le stylo bille sur le comptoir.

Chapitre 9

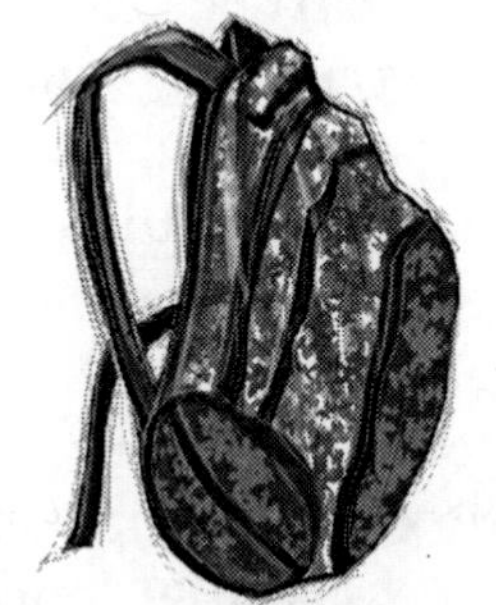

En attendant 15 heures tapant

Henri est très emballé, voire hystérique, à l'idée d'avoir un premier vrai contrat de gardiennage. Il savait qu'il serait capable! *Samuel, tu avais tort, à mon sujet, lalalilalère!* a-t-il envie de clamer à qui mieux mieux.

Il compte les minutes qui restent avant son départ pour la maison de Simone, soit exactement cent quarante-six minutes, dix-sept secondes, seize, quinze...

Dans son sac à dos:

• son manuel de Gardiens avertis

• un peu d'argent de poche: on n'est jamais trop prudent

• un horaire détaillé de l'après-midi

• son jeu de cartes

• une balle truquée – chut, il ne faut pas le dire

• et un foulard multicolore qui se transforme en fleur et en oiseau.

La petite spectatrice sera éblouie, il n'en doute point!

Un souffle chaud dans son cou le distrait et l'agace. Samuel, encore lui, qui cherche à attirer son attention. Ou le trouble?

— Quoi? lance Henri en se retournant vivement vers lui.

— Les nerfs, le frère. Prends ça *cool*, sinon, ils ne vont jamais te rappeler! Je voulais juste voir ce qu'il y avait dans ton sac.

— C'est à toi de prendre ça *cool*! Tu n'as pas à me surveiller. Ni à me tomber dessus.

— Tu veux que je te tombe VRAIMENT dessus? rétorque Samuel, l'attrapant par les épaules.

— Tu cherches la bataille? répond Henri le poing serré.

— Ah! Voilà mes chéris que j'aime et qui sont si gentils l'un envers l'autre! intervient Geneviève en mettant le pied dans le salon. Habituée à leurs sempiternelles querelles, elle s'installe confortablement sur le divan avec un livre, dans lequel elle plonge. Henri se déprend des griffes de son cadet pour venir trouver refuge auprès de sa mère.

— Maman, veux-tu que je te montre les différents trucs que j'ai préparés pour épater la petite Simone? J'ai fait tout un programme. Veux-tu le voir?

— Certainement!

Henri vide son sac sur la table du salon et passe en revue son horaire détaillé:

15 h., arrivée et présentations

15 h 10, départ des parents et début du spectacle

15 h 40, lavage des mains et collation

15 h 55, installation de la deuxième partie du spectacle

16 h., suite du spectacle

16 h 30, jeux libres

17 h., retour des parents et compte rendu de l'après-midi

— Tu as tout prévu, dis donc! Je suis fière de toi, déclare Geneviève.

— Ça a l'air poche comme horaire, lance Samuel. Et quand peut-elle aller aux toilettes? À 15 h 17?

— Toi, on ne t'a pas demandé ton avis à ce que je sache, réplique Henri.

— Eh bien vois-le comme si je te rendais un service. Un service gratuit !

— Ton service, tu peux te le mettre où je pense.

— Les gars ! s'insurge leur mère. Ça suffit. Quand est-ce que vous allez finir par vous entendre, voulez-vous bien me dire ?

— Peut-être dans cent ans ? plaisante Henri, sourire en coin.

— Quand je vais me recueillir sur sa tombe…

Chapitre 10

Simone

À quinze heures, pile-poil, Henri se présente au 1594, rue du Grand Peuplier. C'est Anne-Marie, la maman de Simone, qui ouvre. Impossible pour Henri de cacher sa surprise en voyant l'énorme bedaine de cette dernière.

— Eh oui ! Je suis enceinte ! Je dois accoucher la semaine prochaine.

— Juste une question comme ça... Combien y a-t-il de bébés dans votre ventre ?

— Un seul ! Un petit garçon.

— Un grand garçon, vous voulez dire !

— Peut-être bien ! s'esclaffe Anne-Marie. Allez, installe-toi au salon, je vais chercher Simone. Elle s'amuse au sous-sol.

Henri choisit un beau fauteuil en cuir plus rouge qu'une framboise bien mûre. Il en profite pour se familiariser avec les lieux, plus particulièrement pour prévoir la mise en scène de son spectacle. Il note une table d'appoint près de la causeuse où il pourrait placer son matériel. Il pourrait même utiliser la lampe sur pied comme éclairage. Il n'aurait qu'à cacher ses affaires derrière le meuble de télévision. Oui, tout ça a du sens… Le voilà plongé dans sa bulle, s'imaginant en pleine prestation !

Des pas saccadés trottinant vers lui l'arrachent à ses pensées. Un immense tutu jaune fait son apparition devant lui. Il reconnaît l'enfant rencontrée au parc, une fillette à la chevelure aussi flamboyante que son tutu et aux yeux noirs comme la nuit. Simone, cinq ans, lui fait face, ses petites mains placées sur les hanches, la moue boudeuse.

— J'étais en train d'inventer un spectacle de danse. Là, il a fallu que j'arrête tout à cause de toi.

— Voyons Simone, intervient sa maman. Tu pourras poursuivre ta création dans quelques minutes. Je tenais à te présenter Henri avant notre départ. C'est lui qui te gardera pendant que nous allons faire nos courses, papa et moi.

— Où sont Elsie et Annabelle? interroge Simone, déçue. Elles auraient pu m'aider avec ma chorégrafiti.

— Ta chorégraphie, tu veux dire, corrige Anne-Marie, en réprimant un rire. Malheureusement, elles n'ont pas pu venir, poursuit-elle.

— Pourquoi? s'enquiert Simone.

— Je ne sais pas, Simone. Elles ont téléphoné à papa hier soir. Mais Henri aussi est très gentil, tu verras. Bon, je vais terminer de me préparer pendant que vous faites connaissance.

Maman Anne-Marie les laisse en tête à tête. Henri, quant à lui, se répète les phrases prononcées par la mère de Simone. *Malheureusement, elles n'ont pas pu venir... Elles ont téléphoné hier soir...* en parlant des jumelles. Elles qui lui avaient pourtant affirmé qu'il n'arrivait jamais qu'elles ne soient pas disponibles pour garder. C'est curieux. Tellement, en fait, qu'il aurait envie de questionner Anne-Marie à ce sujet. Peu importe, il est là. C'est ce qui compte, finit-il par se convaincre.

Devant la blondinette aux yeux réglisse, Henri perd tous ses moyens.

Tenant son sac bien serré entre ses doigts, il se rappelle les tours de magie qu'il est capable d'effectuer. Sa planche de salut! En saisissant dans la poche avant de son sac une pièce de monnaie dorée, il tente une première approche auprès de la fillette.

— Je parie que tu aimes la magie! déclare Henri en s'approchant doucement de Simone. Je connais plusieurs tours. Tiens, qu'est-ce qu'il y a, là, dans ton oreille? lance-t-il, alors qu'il fait habilement danser entre ses doigts la pièce scintillante.

— Elle était cachée dans ta main! Moi, je n'aime pas la magie. J'aime mieux la danse... Je vais retourner en bas avec mes amis.

— Avec tes amis? balbutie Henri, décontenancé. Tes parents ne m'avaient pas dit que vous étiez plusieurs...

Henri n'obtient pas de réponse à sa question. Il ne voit que la crinoline de Simone lui filer devant les yeux. Il devra demander des précisions aux parents. Les voilà justement qui redescendent.

— Alors Henri, tu te sens d'attaque pour les deux prochaines heures? taquine Étienne, le papa de Simone.

— Tout à fait, répond ce dernier en se râclant la gorge.

— Sois sans crainte, rassure Anne-Marie. Simone est peut-être un peu farouche, mais c'est uniquement parce qu'elle ne te connaît pas encore. Elle t'adoptera rapidement, et elle ne voudra plus te laisser partir, j'en suis certaine.

— Heu, une petite question comme ça : elle a combien d'amis, en bas ?

— Aucun ! Elle est toute seule.

— Ah, d'accord, répond Henri, qui s'était presque fait à l'idée de recevoir une plus grosse paye pour ses services.

— Nous avons laissé notre numéro de téléphone et une clé de la maison sur la table de la cuisine. N'hésite surtout pas s'il y a quoi que ce soit, dit monsieur Malouf avant de rabattre la porte derrière lui.

Chapitre 11

Garder, c'est du sport !

Henri demeure figé sur le fauteuil, incapable de remuer un doigt, un orteil ou un poil de nez. Il écoute le moteur de la voiture démarrer, l'entend vrombir, puis reculer doucement, puis plus rien. Il respire un bon coup.

Lorsqu'il y pense, c'est une chance incroyable qu'il a de garder un enfant, à peine quarante-huit heures après avoir suivi son cours. Il est gardien. Il a un statut de gardien averti ; il n'est pas une statue de gardien ! Aujourd'hui, en ce moment précis, soit à 15 heures et 9 minutes, il entreprend officiellement ce qu'il espère être une longue et fructueuse carrière !

Gonflé d'énergie, il attrape son sac et descend les marches en direction du sous-sol, et ce, malgré les gouttes de sueur qui perlent sur son front et glissent le long de ses tempes. Il ne se croyait pas si nerveux... *Voyons, c'est seulement une petite fille...* se dit-il pour se rassurer. Il est capable de s'occuper d'elle pendant les deux prochaines heures. Il a prévu tout un programme. Il n'a pas à changer de couche, il n'a pas à faire réchauffer un biberon, il n'a qu'à jouer avec Simone, l'amuser, l'occuper. *Elle dit qu'elle n'aime pas les tours de magie simplement parce qu'elle n'a jamais vu de bons magiciens avant. Je vais la faire changer d'avis...*

Il n'a même pas atteint la dernière marche du sous-sol qu'un tutu jaune fonce droit vers lui.

— On a décidé d'aller au parc! déclare-t-elle en remontant les marches.

— Mais... mais... mais...

Henri part à ses trousses. Simone est déjà sortie, laissant la porte béante derrière elle. À travers la haie verte qui entoure la maison, il distingue un tutu, un tutu qui se dandine comme un poussin.

— Mais...

Il se dépêche de saisir la clé sur la table de la cuisine et court trouver la fillette avant qu'elle ne disparaisse. S'il fallait que d'autres parents la voient arriver au parc toute seule, songe Henri, ça pourrait nuire à sa réputation de gardien... « Tout est une question de sécurité », a répété sempiternellement la dame lors de sa formation. « Les parents vous confient la prunelle de leurs yeux », a-t-elle dit et redit. En ce moment même, Henri est très conscient de tout ça. La prunelle en tutu jaune serin est en train de lui filer entre les doigts ! Si on lui demandait comment il se sent, il balbutierait sûrement qu'il ne croyait pas être si énervé. Il ajouterait du même souffle, en tentant de reprendre son souffle, que garder, c'est du sport !

Une fois sur la galerie, il constate que Simone revient vers lui. Le voilà rassuré. Il peut reprendre ses esprits. Il prend soin de bien verrouiller la porte derrière lui.

— Attention ! ! ! ! ! ! ! ! ! hurle Simone comme si Henri avait failli tomber dans un précipice.

— Qu'y a-t-il ? dit-il en sursautant.

— Tu as failli écraser le pied de Gus en fermant la porte !

— Gus?

— Mon ami Gus, précise Simone en remontant l'allée jusqu'à l'entrée. Tu as fermé la porte au moment où il s'apprêtait à sortir. Tu as failli l'écraser...

— Désolé...

— Là, ce n'est pas mieux: tu l'as enfermé à l'intérieur.

— Hein?

— Prête-moi ta clé, s'il te plaît.

Henri lui tend l'objet brillant, incrédule. Simone attrape la clé et tente de déverrouiller la porte. Elle s'y prend à deux, puis trois fois, tournaille la clé vers la gauche, tournaille à droite. Après un instant, elle se retourne vers Henri, les yeux implorant son aide. Henri ouvre la porte. Simone ouvre grand et laisse sortir son «ami», devant les yeux ébahis d'Henri, qui vient peut-être de comprendre.

— Bon, tout le monde y est à présent, annonce Simone. Tu peux refermer.

Henri s'exécute, encore un peu confus, mais moins nerveux. Il remarque que Simone a commencé à papoter avec quelqu'un, peut-être le fameux Gus...

— Tu me présentes ton ami Gus?

— Voici Gus, dit-elle en pointant son doigt... vers rien du tout.

Henri est amusé par cette histoire d'ami imaginaire ! Il se rappelle soudainement une anecdote que sa maman lui a déjà racontée sur lui-même lorsqu'il était jeune. Il avait eu, lui aussi, un ami imaginaire appelé Simba. À l'approche de Noël, Henri avait même remis à ses parents une liste des souhaits de Simba. Fait cocasse, précisait toujours sa maman lorsqu'elle racontait l'histoire, Simba adorait les escargots ! Il avait donc demandé au père Noël un bocal rempli d'escargots, ainsi que des pots de peinture pour leur faire de jolies maisons colorées. Ses parents s'étaient toujours demandé où Henri avait bien pu pêcher toutes ses idées !

Samuel, pour sa part, n'avait pas eu d'amis imaginaires. Et, alors qu'Henri était en quatrième année, le petit frère s'était fait un malin plaisir de raconter à qui voulait bien l'entendre, que son aîné prenait tous les matins son petit-déjeuner avec Simba, son escargot, fruit de son imagination. Évidemment, certains s'étaient moqués de lui par la faute de ce cher Samuel. Évoquer ce mauvais souvenir enrage encore Henri...

— Hum hum ! fait une voix aiguë à côté.

C'est vrai ! L'heure n'est pas à pester contre son frère. L'heure est au gardiennage ! Avant que Simone ne s'impatiente, Henri s'intéresse de plus près à la question des amis de l'esprit !

— Et tu as d'autres amis que Gus avec toi ?

— Bien sûr. Il y a Simon 1, Simon 2, Anita, Nutella, Noëlla, Suana…

— Tu veux dire Suzana ?

— Non, Suana.

— D'accord. Suana.

— Zumbi, Augustine.

— Ouf, je ne pensais pas que tu avais autant d'amis.

— Il y a aussi Pislidou.

— Pislidou ? Quel drôle de nom !

— Bah, ce n'est pas moi qui l'ai choisi, tu sais… c'est ses parents.

— Bien sûr…

À mi-chemin vers le parc, au moment exact où Henri commence à respirer en se disant « OK, je pense qu'on s'en sortira », Simone se retourne vers lui, catastrophée :

— On a oublié les bouteilles d'eau !

— Penses-tu qu'on en a vraiment besoin ? Nous ne partons pas si longtemps…

— Tu veux qu'on meure de sécheresse ? menace la petite.

— Bien sûr que non… Veux-tu que nous retournions à la maison? propose Henri à contrecœur.

La fillette acquiesce et le groupe rebrousse chemin. Simone, sitôt entrée, court vers la cuisine et sort de l'armoire une demi-douzaine de bouteilles en plastique.

— Henri, tu m'aides ou tu fais la statue? le sermonne-t-elle. Allez, remplis!

Henri s'exécute. Au même moment, Simone s'exclame:

— Zut! Les autres bouteilles sont dans le lave-vaisselle. Il va falloir les laver.

— Tu ne penses pas qu'on a tout ce qu'il nous faut? lance Henri en pointant ses deux bouteilles bien fraîches.

— Et les autres?

— Quels autres?

Simone lance un regard tout autour comme si c'était l'évidence même qu'il faille remplir plusieurs bouteilles. Henri met une seconde pour se rappeler qu'il ne garde pas qu'une seule personne… Ce dernier ouvre donc le lave-vaisselle et sort les autres bouteilles, fait couler de l'eau dans le lavabo, cherche le savon à vaisselle, le trouve, en verse une goutte dans l'eau, qui devient savonneuse…

Une quinzaine de minutes plus tard, il a vidé tout le contenu de son sac à dos et l'a bourré de contenants remplis d'eau glacée pour chacun des amis, ainsi que pour lui-même et Simone. Le sac pèse une tonne. Sur le pas de la porte, la troupe patiente encore quelques minutes, soit le temps que Simon 1 et Simon 2 fassent un dernier pipi.

Ils repartent enfin vers le parc, Simone gambadant un peu devant, Henri surveillant les alentours en espérant ne croiser personne qu'il connaît. Évidemment, il y a foule au parc ! Henri rougit de honte lorsque Simone lui demande de pousser les balançoires de Nutella et de Suana, juste à côté d'une charmante jeune fille qui garde aussi un enfant. Les deux gardiens s'échangent néanmoins un regard de complicité, Henri est gonflé d'orgueil : le voilà parmi les grands… entre gardiens, on se comprend ! Lorsqu'il voit Simone se diriger vers le carré de sable, Henri cesse ses poussées abruptement.

— Elles n'ont pas terminé ! l'avertit aussitôt Simone, qui le guette d'un œil.

Henri passe ainsi d'interminables minutes à répondre aux demandes farfelues que Simone formule pour ses amis.

Tantôt, il doit les pousser dans la glissoire, *Plus fort ! Plus fort !*, tantôt dans les balançoires, *Plus haut ! Plus haut !*, puis il doit les aider à construire des châteaux de sable, *Plus gros ! Plus gros !*

Quant à Henri, il n'est *Plus capable ! Plus capable !*

Pour finir, il doit offrir la bonne bouteille d'eau au bon ami. « Gus préfère la bleue, Noëlla, la transparente, Pislidou, la rose. Non, pas cette rose-là. La rose foncé... » ordonne la démone au tutu jaune.

Chapitre 12

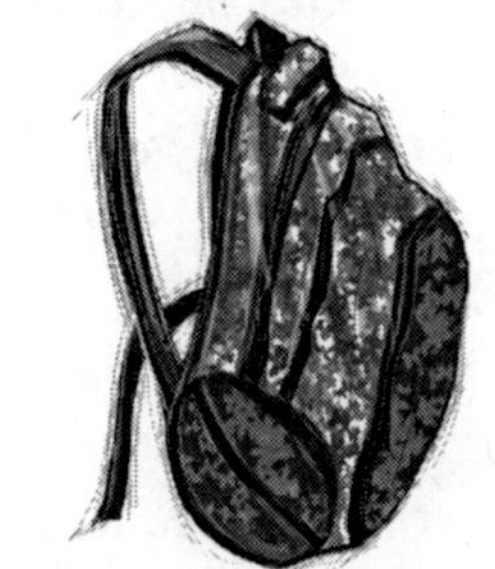

Déjà le retour

C'est lorsque le parc se vide soudainement qu'Henri prend conscience qu'il n'a pas de montre et qu'il ignore l'heure. Et si les parents étaient déjà de retour à la maison, inquiets de l'absence de leur fille?

— Simone, il serait temps de rentrer à présent, affirme-t-il.

— Non. On veut rester encore un peu.

— Non. C'est l'heure. Ton papa et ta maman arrivent bientôt.

— OK, accepte Simone. Je vais chercher tout le monde.

Henri regarde, amusé, Simone faire le tour du parc afin de rapatrier ses copains imaginaires. À ce bref instant, très bref, se dit-il, il la trouve attendrissante. Elle se promène d'un bout à l'autre du terrain, s'empêtre dans les crinolines de son tutu, se penchant vers l'un et vers l'autre de ses amis, un peu comme si elle cueillait un bouquet de fleurs.

Ils prennent enfin le chemin du retour. Henri en profite pour résumer brièvement cette première expérience de gardiennage. Il se donne sans conteste une note de dix sur dix. Selon lui, tout s'est déroulé à merveille, même s'il n'a pas suivi du tout son plan de match et même si, il doit l'avouer, il est épuisé. Garder n'est pas de tout repos et son salaire sera grandement mérité!

Henri, où est la clé de la maison? interroge Simone, piétinant sur le pas de la porte.

Oups!

Trop absorbé qu'il était dans ses pensées, Henri ne s'est pas rendu compte qu'il a omis de rapporter son sac... dans lequel il avait glissé la clé de la maison.

Simone s'impatiente.

— J'ai laissé mon sac au parc... avoue le gardien pas très averti. Il faut y retourner...

— Mais nous sommes épuisés, râle Simone.

— Tu n'as qu'à dire à tout le monde de rester ici, propose Henri, soulagé de ne pas avoir à s'occuper de la « gang ».

— OK, fait Simone en s'assoyant sur les marches. On t'attend.

— Ah non ! Toi, tu viens avec moi ! Je ne peux pas te laisser ici toute seule.

— Mais je ne suis pas seule, rechigne-t-elle.

— Simone ! Je n'ai pas envie que quelqu'un vole le sac, s'emporte Henri. Allez, on va se dépêcher.

Ils repartent d'un pas décidé vers le parc, où Henri retrouve, sur un banc, son sac à dos.

— Voilà ! On peut y aller, annonce-t-il après s'être assuré que la clé de maison était bel et bien là.

À ce moment, il entend, à quelques mètres derrière lui, un cri déchirant. Où est Simone ? Il la croyait à ses côtés. Ça y est, elle s'est gravement blessée, *elle s'est fait piquer par une abeille meurtrière, elle s'est rentré un vieux clou rouillé sous le pied, elle est tombée sur une mouffette enragée,* songe-t-il en s'affolant, cherchant des yeux sa protégée, paniqué. *Je vais devoir faire un massage cardiaque, appeler le 9-1-1, attendre l'ambulance. Les secours arriveront enfin, mais peut-être trop tard... Ses parents m'en voudront, ma carrière, ma vie, sont anéanties...*

Au pied d'un arbre, la fillette pleure effectivement toutes les larmes de son petit corps. En apercevant Henri, elle intensifie ses jérémiades.

— Que se passe-t-il?

— C'est Pislidou... dit la petite, écarlate, en reniflant.

À ces mots, la panique qui s'était emparée d'Henri se meut en colère. Il croyait que « tout le monde » était resté à la maison...

— Que se passe-t-il avec Pislidou? Elle a soif? Elle s'est cogné le gros orteil?

— Premièrement, Pislidou est un garçon, corrige Simone.

— Mmmm...

— Et deuxièmement, deuxièmement...

La petite sanglote de plus belle. Il n'a jamais vu quelqu'un pleurer ainsi. Il a l'impression d'être devant un personnage de dessin animé tant les larmes giclent de tous les côtés. Une rigole de morve bien gluante coule du nez, pourtant si menu, de Simone, tant et si bien qu'Henri n'a pas le choix de lui prêter une manche... de son chandail. Ce qui constitue, à son

avis, un moment pire que celui de changer une couche. Il essaie bien maladroitement de consoler Simone. Voyant qu'il ne s'en sortira pas si facilement, il tente de l'amadouer avec des paroles plus douces.

— Explique-moi ce qui est arrivé, murmure-t-il calmement.

— Il a grimpé tout en haut de l'arbre, raconte la gamine en pointant l'érable géant au pied duquel ils se trouvent. Et il ne peut plus en descendre!

Chapitre 13

Perdre la boule

Voilà des siècles, enfin c'est ainsi que le temps lui paraît, qu'Henri tente par tous les moyens de convaincre Simone de rentrer. Sa patience est à bout et il redoute d'être contraint de ramener Simone de force. Il a tout essayé.

TOUT !

Il a d'abord interpellé Pislidou comme on le ferait avec n'importe quel être « vivant » normal :

— Pislidou ! Descends, s'il te plaît !

Il a même fait semblant qu'il avait réussi.

Simone n'a pas été dupe et n'a pas bougé d'un poil. Celle qui avait momentanément cessé ses pleurs a repris de plus belle.

Ensuite, il a feint de convaincre Simon 1 de grimper en haut de l'arbre pour aller chercher l'ami en question. Cette tentative a échoué également, malgré tout le réalisme qu'il y a mis : « Bravo Simon 1, tu as réussi ! Allô Pislidou ! Tu n'as pas trop eu peur en redescendant ? » Simone, piquée au vif, a demandé à Henri d'arrêter de la traiter en bébé. En effet, elle a rappelé à Henri que Simon 1 ne pouvait PAS avoir aidé Pislidou à redescendre puisqu'il était resté à la maison !

— Zut...

Henri a quasiment crié victoire lorsqu'il a déployé une énorme échelle – imaginaire – contre le majestueux érable, afin d'y faire redescendre le cher ami. Il est même allé jusqu'à promettre à Pislidou un cornet de crème glacée trois couleurs s'il revenait au sol comme un grand...

C'est un échec sur toute la ligne. Malgré ses talents de magicien, aucune ruse et aucun truc n'a réussi à convaincre la fillette qui faisait la pluie et le beau temps à ses côtés.

— Pourquoi ne grimperais-tu pas en haut de l'arbre ? gémit la petite en désespoir de cause.

— Je suis incapable de monter si haut. J'ai le vertige... avoue Henri.

— Je vais devoir y aller moi-même alors.

— Pas question ! Tu pourrais te blesser.

— Mais Pislidou va mourir de peur si on le laisse ici trop longtemps. Et il va mourir tout court si on l'abandonne toute la nuit.

— Pourquoi est-ce qu'on ne retournerait pas à la maison et tu reviendras avec ton père plus tard. Avec une vraie échelle...

— Notre échelle est brisée.

Et la symphonie de sanglots de reprendre.

Henri est complètement déboussolé. Dire qu'il croyait s'amuser comme un petit fou tout l'après-midi en effectuant des tours de magie éblouissants ! Lui qui est censé être maître dans l'art du faux-semblant et des apparences, le voilà complètement nul pour gérer des amis imaginaires.

Et Simone qui s'égosille à ses côtés. Henri redoute que si quelqu'un se pointe à ce moment même – la police par exemple – il soit arrêté et jeté en prison. Encore une fois, les scénarios catastrophes se multiplient à une vitesse folle dans son esprit.

Quelle n'est pas sa surprise de voir quelqu'un, justement...

Chapitre 14

Opération sauvetage

Sur sa planche à roulettes, Samuel tourne le coin de la rue et jette un œil en direction du parc. Henri baisse les yeux, faisant mine de ne pas le voir. Croiser Samuel, c'est pire que de tomber nez à nez avec un agent de police. Il en a pour la vie à regretter de ne pas être en prison!

Trop tard, Samuel a clairement reconnu son frangin. Il a hissé les voiles en sa direction.

— Salut Henri!

— Salut! Simone, je te présente mon frère Samuel. Il est très bon en planche. Veux-tu qu'il te montre ses prouesses?

Samuel demeure surpris devant ce compliment inattendu. Il y a anguille sous roche. Il regarde Simone et se rend soudainement compte que la fillette est en larmes. Il se tourne à nouveau vers son frérot.

— Elle s'est blessée?

— Non, explique Henri. Tout va bien.

— Je vois ça. Je n'ose pas imaginer ce à quoi ça ressemblerait si ça allait mal...

— Simone va très bien, rétorque Henri. Par contre, poursuit-il, un filet d'ironie dans la voix, son «ami» Pislidou a grimpé dans cet arbre tantôt, et il est incapable d'en redescendre.

— Ah bon? fait Samuel, s'étouffant dans son fou rire. Cet arbre-ci?

— Ce n'est pas drôle, coupe Simone en reniflant. Je dirai à mon père que vous vous moquez de Pislidou. Et tu ne viendras plus jamais t'occuper de moi, ajoute-t-elle à l'intention d'Henri.

Henri se tourne vers Sam avec une pointe de découragement.

— As-tu l'heure? lui demande-t-il.

— Presque 17 heures, répond Samuel en vérifiant sa montre.

— Ses parents arrivent dans quelques minutes, s'énerve Henri. Je ne sais vraiment pas quoi faire...

— Ce n'était pas écrit dans ton guide de gardien averti? nargue Samuel.

Épuisé, Henri hausse les épaules en direction de son frère. Et éclate de rire.

Samuel dépose sa planche sur le sol.

— Tu diras à papa et à maman que je devrais être de retour d'ici demain, poursuit Henri, croyant que celui-ci s'apprête à repartir.

Mais ce dernier ne part pas. Intrépide, il s'agrippe solidement au tronc de l'arbre, qu'il commence à gravir. Le voilà qui zigzague ensuite habilement de branche en branche tel un Tarzan avec ses lianes. Il en atteint la cime en quelques minutes, laissant les deux témoins époustouflés sur la terre ferme.

— Heu, il est où, Scoubidou? crie-t-il, perché sur son sommet.

— C'est Pislidou! précise Henri.

— Il est là! Il est là! pointe Simone.

— À gauche? interroge Samuel.

— Non, à droite, ajoute-t-elle.

— Ici?

— Non, à gauche, fait-elle encore.

— Là?

— Non, encore à droite. Juste là! Là! confirme-t-elle.

— OK. Je vais prendre Slipidou dans mes bras, hurle Samuel en tentant de garder son sang-froid. Viens avec moi

Didlidou, dit-il d'une voix forte, afin que Simone ne perde pas une seule de ses interventions. Viens, dans mes bras. Pislidou est dans mes bras. Je répète : Pislidou est dans mes bras ! Bon, on va redescendre ensemble... On est en train de redescendre...

Simone regarde l'opération sauvetage avec attention et beaucoup, beaucoup d'admiration. En voyant un sourire illuminer son visage, Henri comprend que Samuel ramène Pislidou sain et sauf.

Quelques secondes plus tard, l'habile grimpeur retrouve le sol en s'écriant « Youpi ! » Simone est ravie. Elle saute au cou de Samuel en criant « Mon sauveur ! » Ce dernier en rougit.

— Merci Sam ! s'exclame Henri.

— Ce n'est rien !

— Bon, on peut rentrer maintenant ? ajoute Henri en se tournant vers la petite.

— Ah non, tu viens à la maison avec nous ! insiste Simone en attrapant la main de son héros. Tu as sauvé mon ami. Tu as droit à un dessin !

— Vraiment ?

— Oui, Suana est vraiment championne pour dessiner. Elle va m'aider.

— Tu veux sûrement dire Suzana ?

— Oublie ça mon vieux... fait Henri en ouvrant la marche.

Il n'a pas fait trois pas qu'il s'arrête net.

Se tourne.

— Mon sac! s'exclame-t-il.

Chapitre 15

Grilled cheese et imprévu...

— On a un message sur le répondeur! s'étonne Simone.

Effectivement, le voyant du téléphone clignote. Henri écoute le message, qui va comme suit «Bonjour Henri. Rappelle-moi dès que tu peux. Anne-Marie a perdu ses eaux alors que nous étions dans l'auto. Nous allons à l'hôpital...»

Nerveux, Henri compose immédiatement le numéro du cellulaire et apprend qu'Anne-Marie est en train d'accoucher du géant petit frère de Simone. On lui annonce du même souffle que c'est le grand-père paternel qui doit venir garder cette dernière pendant le séjour de papa, maman et du nouveau-né à l'hôpital. Seule ombre au tableau : grand-papa habite... à deux heures de route de la ville ! Henri devra s'occuper de Simone jusqu'à son arrivée. Cela signifie, entre autres, qu'il doit préparer le souper. Monsieur Malouf, sans doute fébrile à cause de l'accouchement, invite Henri à fouiller dans le réfrigérateur et à faire comme chez lui...

Tout à côté, appliquée à la table de la cuisine, cartons et crayons épars autour d'elle, Simone dessine la « scène de sauvetage dans l'arbre ». Samuel, prisonnier de la soudaine affection qu'elle lui porte, patiente, curieux de voir le visage de son rescapé. Pendant ce temps, Henri, la tête plongée dans le frigo, brasse des idées pour le souper. Il se rabat sur les classiques *grilled cheese* qui, accompagnés de crudités, feront un repas nourrissant et facile à concocter.

— Bon, il faudrait peut-être que je retourne à la maison, moi, déclare Samuel après quelques minutes. Je ne voudrais pas que nos parents s'inquiètent.

— Mais je n'ai pas terminé mon dessin, ronchonne Simone.

Elle se tourne vers Henri pour lui demander :

— Est-ce qu'il peut souper avec nous ? Allez, dis oui ! Dis oui ! Dis oui !

Henri n'y voit pas d'objection, d'autant plus que la petite est beaucoup plus docile depuis que Samuel est là. Incroyable… Sam qui a le tour avec les enfants ! Qui l'eût cru ? Remarquant le sourire niais dessiné sur le visage du frérot, il faut croire qu'il ne déteste pas être l'objet de son affection !

Henri s'affaire au comptoir, Samuel sort une dizaine de napperons et autant d'assiettes, qu'il dispose sur la table.

— Que fais-tu là ? intervient Simone. Nous ne sommes que trois.

— Mais… n'y a-t-il pas Diana, Rambo et compagnie ? bafouille Samuel.

— Ah, eux ? Ils mangent toujours en bas, dans le sous-sol, précise Simone d'un ton espiègle. Mes parents trouvent qu'ils sont trop bruyants aux repas.

Chapitre 16

Abracadabra

Après avoir englouti une montagne de sandwichs chauds et quelques bouquets de brocoli, Samuel et Henri se lèvent de table et vont déposer leurs assiettes dans l'évier. On dirait qu'ils sont tous les deux étonnés de leur soudaine bonne entente, mais qu'ils n'osent pas en discuter, de crainte de briser la magie !

Simone propose de retourner au parc. Les deux frères n'ont même pas à se regarder pour répondre en chœur : « pas question ! ». Contre toute attente, Samuel suggère plutôt à sa nouvelle protégée d'assister à un fabuleux spectacle de magie.

— Mon frère est le plus grand magicien que je connaisse, affirme-t-il pour la convaincre.

Le trio s'installe au salon, Simone ne quittant pas Samuel d'une semelle. Henri rapatrie son attirail de magie, place dans l'ordre son matériel et repasse dans son esprit le premier tour qu'il souhaite réaliser.

— Mesdames et messieurs, je suis Henri Chartier, magicien ! annonce-t-il en s'avançant vers le fauteuil framboise vide. Ah ah ! Pislidou, regarde ce qui se cache dans ton oreille, murmure-t-il en faisant habilement apparaître son foulard multicolore.

Cette fois, le charme opère ! Simone émet un retentissant « wow ! », puis ses yeux s'illuminent lorsque le tissu se transforme en une soyeuse fleur turquoise.

Henri salue timidement son public en revenant chercher un de ses jeux de cartes, qu'il brasse à une vitesse telle qu'on a l'impression de voir apparaître une guirlande rouge et noire. Il poursuit son animation.

— Mesdames et messieurs, je tenterai de deviner la carte que vous aurez choisie. Demandons à Suana de choisir une carte, s'amuse-t-il en interpellant l'amie imaginaire. Très bien. À présent, Suana, je vais montrer ta carte à tout le monde.

Le magicien fait tranquillement le tour du salon, prenant le temps d'exposer la carte à chacun, avant de la replacer dans son paquet.

— Simone, je vais maintenant te demander de brasser les cartes et de les lancer au plafond.

— De les lancer?

— Oui!

— Dans les airs? insiste-t-elle, incertaine.

— Oui oui! Vas-y, envoie-les dans les airs, le plus haut possible.

La fillette s'exécute et les cartes s'envolent dans toutes les directions. Simone rit à gorge déployée. Après un moment, elle interroge:

— Et alors? On ne retrouvera jamais celle qu'avait choisie Suana.

— Es-tu bien certaine de ça? demande Henri.

— Je ne la vois pas... se désole-t-elle.

— Ah bien ça, c'est parce que tu es assise dessus, déclare Henri solennellement.

Simone se lève pour constater, ébahie, qu'un valet de carreau se cache bel et bien

sous son tutu jaune. Elle applaudit à tout rompre!

Henri salue son public, fier d'avoir réussi son tour. Il reprend ses cartes une à une, réfléchissant à son prochain truc. Lorsqu'il entend une portière de voiture claquer dans l'entrée, il se rapproche de Simone et annonce:

— À présent, je vais faire apparaître quelqu'un que tu aimes beaucoup. Ferme les yeux... Attention, abracadabra... trois, deux...

Ding dong!

Simone ouvre les yeux tout grands et se rue vers la porte.

— Papi! s'exclame-t-elle en trépignant. Papi! Tu es arrivé comme par magie!

Chapitre 17

Si on lui posait la question

Sur le chemin du retour, Henri compte l'argent que lui a offert le grand-père de Simone. Décidément trop pour le temps passé et le plaisir qu'il a eu, estime-t-il. Il a eu beau s'obstiner avec lui, le grand-papa n'en a pas démordu.

Henri prend la moitié de sa paie et la tend à Samuel.

— Tiens.

— Pour moi ? Bien non, tu n'as pas besoin de faire ça ! Ça m'a fait plaisir, murmure-t-il.

— J'y tiens. Si tu n'avais pas été là, je pense que je serais encore au parc à essayer de faire descendre un fantôme d'un arbre!

Les gars rigolent en se remémorant les événements des dernières heures.

— En tout cas, ce ne sont pas les «L» qui auraient survécu à cette épopée. Dans les dents, les deux pseudo-gardiennes! déclare fièrement Sam, en regrettant aussitôt ses propos.

— Ça, c'est sûr! Mais comment ça tu les connais, elles?

— Bof, je les connais vaguement...

Henri se souvient des paroles d'Anne-Marie lorsqu'il est arrivé chez elle un peu plus tôt. Les deux filles, qui s'étaient décommandées à la dernière minute...

— Je me demande bien comment ça se fait qu'elles ne gardaient pas, ce soir.

— Peut-être parce que quelqu'un a brouillé un peu les cartes... avoue Samuel.

— Quoi?

En y repensant, Henri se rend compte qu'il était tout à fait improbable que monsieur Malouf ait simplement décidé de lui téléphoner. Les jumelles devaient garder Simone. Mais qu'est-ce que son frère venait faire dans le portrait?

— J'espère que tu ne m'as pas mis dans le pétrin, Samuel Chartier, parce que... parce que...

Samuel confie à son grand frère qu'il s'est effectivement immiscé dans ses affaires. *Mais pour ton bien!* affirme-t-il. Il lui raconte que la veille, soit le fameux samedi où Henri avait fait connaissance avec les jumelles, Samuel les avait aussi croisées. L'affaire s'était passée au parc de skate. En effet, Elsie et Annabelle s'y étaient rendues en fin de journée afin de rejoindre des copains. Assises sur la même rampe où se tenait Sam, elles auraient rapporté de façon plutôt mesquine leur rencontre avec le «magicien-pseudo-gardien» qui distribuait ses ridicules cartes au parc. Évidemment, elles ignoraient que Samuel était parent avec ce magicien. Et que celui-ci ne manquait pas un mot de l'anecdote, feignant d'effectuer une mise au point à sa planche à roulettes.

En entendant le groupe se moquer de son frère, Samuel était devenu furieux et avait pris la décision de le venger. Un appel reçu sur le téléphone d'Annabelle lui en donna l'occasion. Le frangin capta l'entretien de cette dernière avec un dénommé monsieur Malouf, le papa de Simone.

Il semblait confirmer une séance de gardiennage pour le lendemain après-midi.

Devant les yeux de plus en plus interrogateurs d'Henri, Samuel poursuit.

— C'est lorsque j'ai entendu Annabelle répéter à haute voix l'adresse de Simone, que j'ai eu mon idée, déclare-t-il.

— Je ne saisis toujours pas comment, moi, j'ai pu arriver dans l'histoire!

— J'y arrive, j'y arrive! Donc, j'ai retenu l'adresse de Simone... Et puis, juste avant de descendre la rampe de skate, je me suis penché au-dessus du cellulaire d'Elsie, qui avait le nez collé dessus, pour noter son nom de famille ou son numéro de téléphone... Enfin, rendu à la maison, j'ai tout bonnement cherché sur Internet les numéros de tout ce beau monde!

Henri est estomaqué. Son frère a voulu l'aider... Il n'en revient tout simplement pas! Tellement qu'en haut de sa liste de choses à acheter avec l'argent du gardiennage, se dresse désormais «roues de skate». Si on lui posait la question à ce moment exact, Henri vous dirait qu'il est très fier de son frérot et qu'il se sent touché par son geste, même si, à son avis, «il frôle l'illégalité». Ce cher Sam, malin comme un renard...

— Il fallait bien t'aider un peu ! Tu faisais pitié à voir lorsque tu étais au parc. En plus, les deux « L » ont ri de MON frère... Inacceptable ! Il y a juste moi qui peux rire de lui !

— Très drôle... Mais je ne saisis toujours pas comment tu as réussi ton coup.

— J'ai juste fait deux petits appels... poursuit Samuel.

— Précise...

— Bah... J'ai d'abord contacté les jumelles en me faisant passer pour le père de Simone, afin de leur dire que la soirée de ce soir était annulée.

— Tu es cinglé !

— Y' a rien là ! Et puis après, j'ai téléphoné au père de Simone pour lui annoncer que les jumelles ne pouvaient pas garder, qu'elles étaient toutes les deux malades, grosse gastro, blablabla, mais qu'elles connaissaient le numéro de quelqu'un qui accepterait de les remplacer à la dernière minute : toi !

— Tu t'es fait passer pour le père des jumelles ?

— Pas exactement, non...

Henri ne comprend plus rien.

— Tu n'as tout de même pas pu prétendre être l'une d'elles quand même ?

— Tu sauras que tu n'es pas le seul à avoir plus d'un tour dans ton sac, frérot! répond Samuel d'une voix espiègle.

Isabelle Gaul

Isabelle a gardé des enfants pendant plusieurs années : ses cousins adorés, ses jeunes voisins et plusieurs tout-petits de son quartier. Certains lui en ont fait voir de toutes les couleurs, mais la plupart du temps, ces moments en leur compagnie étaient une vraie partie de plaisir… une sorte d'autorisation à prolonger sa propre enfance un peu plus longtemps !

C'est lorsque son fils aîné suit un cours de Gardien averti que germe l'idée d'écrire les péripéties d'un garçon qui ferait ses premières armes comme gardien. S'inspirant d'une anecdote de sa cousine, elle plonge le héros de son histoire – le pauvre Henri – dans l'univers de Simone, une fillette à l'énergie et à l'imagination déroutantes... comme vous avez pu le lire !

Ce livre a été imprimé sur du papier Enviro
100 % recyclé, traité sans chlore, accrédité Éco-Logo
et fait à partir d'énergie biogaz.

Achevé d'imprimer
à Montmagny (Québec)
sur les presses de Marquis Imprimeur
en janvier 2017